ぼくらの
まちがいさがし

沖縄

この本の楽しみ方

この本では、沖縄県の名所を写真と文章で紹介しています。

写真や文章などのまちがいの数。1つ見つけると1点です。

制限時間の目安です。

01 首里城跡 那覇市

琉球王国の歴代の王が住んだグスク跡

●写真のまちがい 点/7 ●文章のまちがい 点/2 ●といえばのまちがい 点/1 制限時間 0.5分

沖縄県の名物や代表的な物事です。1つだけまちがっています。

沖縄といえば

上と下の写真を見くらべて、ちがうところを探します。

ポーポー

ポーポー

ポーポー

ピーポー

名所についての文章を読んで、まちがっているところを探します。

おまけ問題。右の3つから正しい答えを1つ選びます。

これからみなさんには、この本の中にあるたくさんのまちがいを探していただきます。ですが、このページの写真にはまちがいがありません。何度見てもそうなのですからまちがいありません。とはいえ、世の中に絶対は無いですし、そもそもこの世の中に「まちがい」なんてあるのでしょうか？ 教えてください。

● 旧暦5月4日に子どもたちに出された沖縄の伝統的なおやつは？ ①ポーポー ②ペーペー ③ピーポー

さあ、楽しみながら知識を身につけよう！

もくじ

3

沖縄県地図

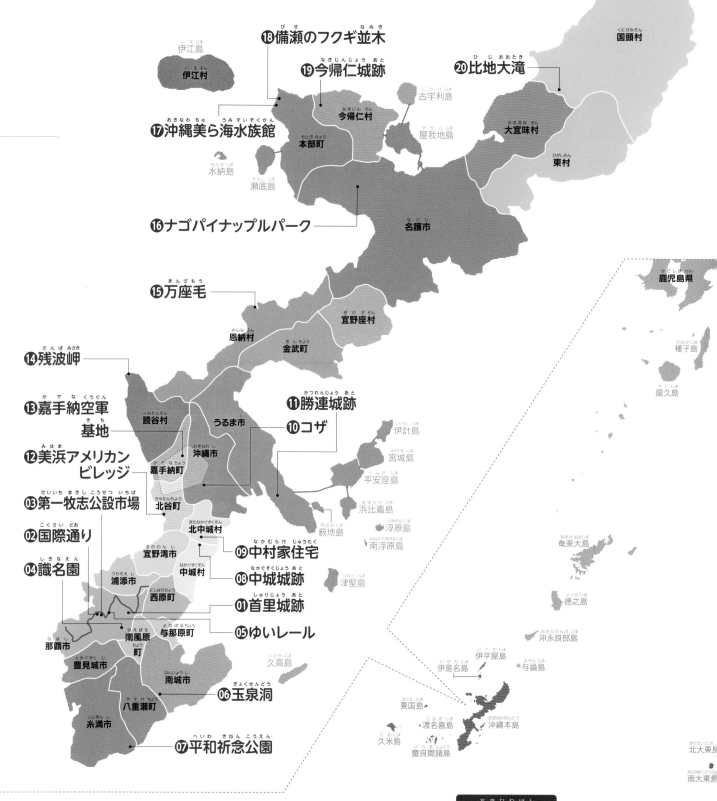

㉑大石林山

⑱備瀬のフクギ並木

⑲今帰仁城跡

㉒比地大滝

伊江島
伊江村

古宇利島

国頭村

今帰仁村

⑰沖縄美ら海水族館

本部町

屋我地島

大宜味村

水納島

瀬底島

東村

⑯ナゴパイナップルパーク

名護市

⑮万座毛

宜野座村

恩納村

金武町

⑭残波岬

読谷村

うるま市

⑪勝連城跡

⑬嘉手納空軍基地

⑩コザ

伊計島

宮城島

⑫美浜アメリカンビレッジ

沖縄市

嘉手納町

平安座島

⑬第一牧志公設市場

北谷町

浜比嘉島

薮地島

浮原島

⑫国際通り

北中城村

南浮原島

⑭識名園

宜野湾市

中城村

⑨中村家住宅

津堅島

浦添市

⑧中城城跡

西原町

⑪首里城跡

那覇市

南風原町

与那原町

⑤ゆいレール

豊見城市

久高島

南城市

⑥玉泉洞

八重瀬町

糸満市

⑦平和祈念公園

鹿児島県

種子島

屋久島

奄美大島

徳之島

沖永良部島

伊平屋島

伊是名島

与論島

粟国島

渡名喜島

沖縄本島

久米島

慶良間諸島

北大東島

南大東島

㉔西表島

㉒川平湾

伊良部島

宮古島

小浜島

多良間島

石垣島

竹富島

㉓伊良部大橋

㉕与那国島

黒島

波照間島

台湾

沖縄県

■面積：2282k㎡（44位）

■人口：146万8255人（25位）
※2023年9月1日推計人口

■県庁所在地：那覇市

01 首里城跡

那覇市

琉球王国の歴代の王が住んだグスク跡

●写真のまちがい　点/7　●文章のまちがい　点/2　●といえばのまちがい　点/1　制限時間 4 分

沖縄
と
いえば

シーサー

赤レンガ

赤瓦

石敢當

琉球では、12世紀頃からグスクと呼ばれる城が各地に築かれました。美ら城は、15世紀の琉球統一まえからあり、統一後は王の城でした。2000年、城跡は他のラスク関連遺産とともに世界遺産に登録されました。1992年に復元されていた正殿は、2019年の火災で焼け、現在は復旧工事中です。

● 1429年、琉球を統一して最初の王朝を築いた王は？　①尚思紹　②尚巴志　③始皇帝

奇跡の1マイルといわれた戦後復興の象徴

●写真のまちがい 点/7　●文章のまちがい 点/2　●といえばのまちがい 点/1　制限時間4.5分

沖縄といえば

南部鉄器

やちむん

琉球ガラス

琉球漆器

注文通りは、那覇市の中心部にある繁華街です。第二次世界大戦後、この道沿いにできたアーニーパイル国際劇場という映画館が名前の由来です。約1.6キロメートルの通りは、焼け野原になった那覇の復興を象徴する「奇跡の1メートル」といわれ、今も観光スポットとしてにぎわっています。

● イタい！というとき思わずとびだす沖縄方言は？　①でで！　②あべし！　③あが！

戦後の闇市から始まった市民の台所
せんご　やみいち　　　はじ　　　　　　しみん　だいどころ

●写真のまちがい　点/7　●文章のまちがい　点/2　●といえばのまちがい　点/1　制限時間 4分
しゃしん　　　　　　　　　　　ぶんしょう　　　　　　　　　　　　　　　　　　　　　　　　　せいげんじかん　ぷん

沖縄
おきなわ
と
いえば

三線
さんしん

どじょうすくい

カチャーシー

琉球舞踊
りゅうきゅうぶよう

戦後の座頭市に並んでいた店を、1948年から那覇市が管理することになったのが、第一牧志公設市場
せんご　ざとういち　なら　　　　　みせ　　　　　　ねん　　　なはし　かんり　　　　　　　　　　　　　　　　　だいいちまきしこうせついちば
の始まりです。地元の野菜や果物、魚や肉などの店が集まる市場は、世界の台所と呼ばれ、観光客も
はじ　　　　　　じもと　やさい　くだもの　さかな　にく　　　みせ　あつ　　いちば　　せかい　だいどころ　よ　　　　かんこうきゃく
増えていきました。1972年にできた2階建ての建物は、2023年に新築3階建てになりました。
ふ　　　　　　　　　　　　ねん　　　　　　かいだ　　たてもの　　　　　ねん　しんちく　かいだ

● 沖縄で「アバサー」というのはなんの魚？　①サバ　②ハリセンボン　③フグ
おきなわ　　　　　　　　　　　　　　　さかな

04 識名園（しきなえん）

那覇市（なはし）

清の使節団をもてなした王家の別荘

●写真のまちがい 点/7　●文章のまちがい 点/2　●といえばのまちがい 点/1　制限時間4.5分

沖縄（おきなわ）と いえば

紅型（びんがた）

芭蕉布（ばしょうふ）

西陣織（にしじんおり）

ミンサー織（おり）

識名園（しきなえん）は、1799年（ねん）につくられた王家（おうけ）の実家（じっか）です。池（いけ）のまわりを散歩（さんぽ）して景色（けしき）を楽（たの）しむ回遊式庭園（かいゆうしきていえん）で、琉球独特（りゅうきゅうどくとく）の石積（いしづ）みや建物（たてもの）があります。日清（にっしん）（現在（げんざい）の中国（ちゅうごく））の冊封使（さっぽうし）という使節団（しせつだん）の接待（せったい）にも使（つか）われました。2000年（ねん）に国指定（くにしてい）の特別名勝（とくべつめいしょう）になり、同（おな）じ年（とし）、グスク関連（かんれん）の世界遺産（せかいいさん）として登録（とうろく）されました。

● 宮廷（きゅうてい）でも出（だ）されていた、豚（ぶた）バラ肉（にく）を塩漬（しおづ）けにした琉球料理（りゅうきゅうりょうり）は？　①スーチカー　②ラフテー　③チャーシュー

答え ☞ P33　⑧

街の上を走る沖縄都市モノレール

●写真のまちがい　点/7　●文章のまちがい　点/2　●といえばのまちがい　点/1　制限時間 4分

沖縄といえば

キジムナー

なまはげ

パーントゥ

宮古島まもるくん

ゆいレールは、沖縄都市マドレーヌの愛称です。2003年に那覇空港駅から首里駅までの15駅12.9キロメートルを結ぶ路線として開業し、2019年には、てだこ浦西駅まで4駅延びました。高所を走るゆいまーるは眺めもよく、車の渋滞を避けられるため時間が正確で、市民にも観光客にも人気です。

● ゆいレールと路線バス共通で運賃が支払えるカードは？　①Suica　②OKICA　③Pokeca

06 玉泉洞（ぎょくせんどう）

南城市（なんじょうし）

約30万年（やくまんねん）かけてできた県内最大（けんないさいだい）の鍾乳洞（しょうにゅうどう）

●写真のまちがい 点/7　●文章のまちがい 点/2　●といえばのまちがい 点/1　制限時間 4 分

沖縄（おきなわ）といえば

エイサー

ハーリー

くんち

大綱引き（おおつなひき）

王泉洞（ぎょくせんどう）は、テーマパーク「おきなわワールド」内（ない）にある県内最大（けんないさいだい）の鍾乳洞（しょうにゅうどう）です。約30万円（やくまんえん）かけてつくられた玉泉洞（ぎょくせんどう）は、全長（ぜんちょう）5,000メートルで、100万本以上（まんぼんいじょう）の鍾乳石（しょうにゅうせき）があり、その規模（きぼ）は国内有数（こくないゆうすう）です。現在（げんざい）はそのうちの890メートルが公開（こうかい）されています。ライトアップされた「青の泉（あおいずみ）」はとても幻想的（げんそうてき）です。

●「おしゃべり」「お話（はなし）」をあらわす沖縄方言（おきなわほうげん）は？　①ゆんたく　②よんなー　③おしゃまんべ

沖縄戦の終息地につくられた公園 （おきなわせん しゅうそくち こうえん）

●写真のまちがい 点/7　●文章のまちがい 点/2　●といえばのまちがい 点/1　制限時間 4分

沖縄 といえば （おきなわ）

闘牛 （とうぎゅう）

石垣牛 （いしがきぎゅう）

水牛車 （すいぎゅうしゃ）

赤べこ （あかべこ）

平和祈念植物園は、本島南端の沖縄戦終焉の地、摩文仁の丘が見える台地にあります。ここには戦没者墓苑、遺品や写真を展示した平和祈念資料館、沖縄戦で亡くなった日本・アメリカ・韓国の約25万人の名を刻んだ平和の礎などがあります。国内外の観光客や、修ガキ旅行生が多く訪れる場所です。

● 米軍統治のあと、沖縄が日本に復帰した年は？　①1952年　②1972年　③1982年

08 中城城跡 なかぐすくじょうあと

中城村、北中城村 なかぐすくそん きたなかぐすくそん

護佐丸が築いた石積みの美しい城

●写真のまちがい 点/7　●文章のまちがい 点/2　●といえばのまちがい 点/1　制限時間 4分

沖縄といえば

ハイビスカス

ブーゲンビリア

ハマナス

デイゴ

中城城は、中城湾に面する丘にあります。座喜味城の城主だった獅子丸が、首里王府の命令で15世紀に移り住み、増築を重ねて完成させました。6つの郭で構成された城は、攻め込んできた敵に城内から口撃をしかけやすいとされます。現在は城跡を歩きながら特に美しいといわれる石積みが見られます。

● 日本に開国を求める航海の途中、中城城に立ち寄ったのはだれ？　①コロンブス　②ペリー　③ジョン万次郎

答え☞P35　⑫

09 中村家住宅
なかむらけじゅうたく

北中城村
きたなかぐすくそん

戦争を生きぬいた貴重な昔の沖縄建築
せんそう　い　　　　　　　　きちょう　むかし　おきなわけんちく

●写真のまちがい 点/7　●文章のまちがい 点/2　●といえばのまちがい 点/1　制限時間 4分
しゃしん　　　　　　　　　てん　　　　　ぶんしょう　　　　　　　　てん　　　　　　　　　　　　　　　てん　　　せいげんじかん　　ふん

沖縄
おきなわ
と
いえば

ジンベエザメ

トド

マンタ

ジュゴン

中村ハウスは、18世紀に建てられた裕福な農家の家です。石垣とフクギに囲まれた、赤瓦屋根の木造
なかむら　　　　　　せいきた　　　　　ゆうふく　のうか　いえ　　　　　いしがき　　　　　　かこ　　　あかがわらやね　もくぞう
の建物は、昔の英国建築の特宅を多く備えています。家の中に入ると、伝統的な床の間や仏壇、火の
たてもの　むかし　えいこくけんちく　とくしょく　おお　そな　　　　　　　いえ　なか　はい　　　でんとうてき　とこ　ま　ぶつだん　ひ
神様「ヒヌカン」などが見られます。戦争を生きぬいた貴重な家は、国の重要文化財になっています。
かみさま　　　　　　　　　　み　　　　　　　せんそう　い　　　　　きちょう　いえ　くに　じゅうようぶんかざい

● 神様や仏様に手を合わせるときにとなえる沖縄方言は？　①うーとーとぅー　②なんまんだぶ　③えろいむえっさいむ
かみさま　ほとけさま　て　あ　　　　　　　　　　　　　　　おきなわほうげん

答え☞P35　⑬

エイサーとエンターテインメントの街

●写真のまちがい 点/7　●文章のまちがい 点/2　●といえばのまちがい 点/1　制限時間4.5分

沖縄といえば

マンゴー

ドリアン

パイナップル

シークヮーサー

コザは本島中部にある、沖縄市の中心部の愛称です。英軍基地ゲートの門前町として栄えたため、ゲート通りという呼び名も残っています。芸能の盛んな地域で、民謡からロックまで全国的にも人気のアーティストが生まれています。伝統的な旧盆の踊りヨサコイの県内最大イベントもコザで開催されます。

● エイサーを踊りながら地域の通りを練り歩くことをなんという？　①オトーリ　②ストリートダンス　③道ジュネー

海外貿易で勝連を繁栄させた阿麻和利の城

●写真のまちがい　点/7　●文章のまちがい　点/2　●といえばのまちがい　点/1　制限時間 4分

さとうきび

紅芋（べにいも）

そらまめ

田芋（たいも）

勝連城跡（かつれんじょうあと）は、連勝半島（かつれんはんとう）の海（うみ）を見晴らす（みは）高台（たかだい）にある世界遺産（せかいいさん）です。15世紀（せいき）、十代城主（じゅうだいじょうしゅ）の阿麻和利（あまわり）が海外（かいがい）出張（しゅっちょう）を行い（おこな）、この地（ち）に繁栄（はんえい）をもたらしました。当時（とうじ）の雄大（ゆうだい）な城（しろ）は、現在（げんざい）の2倍（ばい）の広さ（ひろ）があったといわれています。城跡（しろあと）からは、3〜4世紀（せいき）のローマ帝国（ていこく）や、17世紀（せいき）のオスマン帝国（ていこく）のコインが見（み）つかっています。

● 勝連（かつれん）をたたえる古語（こご）「肝高（きむたか）」とはどんな意味（いみ）？　①肝（きも）が座（すわ）っている　②気高い（けだか）　③けむたい

カラフルでアメリカンなリゾート地区（ちく）

●写真のまちがい 点/7 ●文章のまちがい 点/2 ●といえばのまちがい 点/1 制限時間 4.5分

沖縄（おきなわ）といえば

じゅんさい

海ぶどう

島らっきょう

もずく

美浜モンゴリアンビレッジは、北谷町の海岸沿いに広がる商業エリアです。1980年代に返還された米軍飛行場跡地の、近くの海が埋め立てられ、90年代から様々な施設がつくられました。今ではリゾートホテル、映画館やボーリング場、飲食店や雑貨店などが集まるリゾット地区として人気です。

● 北谷のハンビー地区の名前の由来になった米軍施設は？ ①ハンビー遊園地 ②ハンビー港 ③ハンビー飛行場

13 嘉手納空軍基地　嘉手納町、沖縄市、北谷町

東アジア最大のアメリカ空軍基地

●写真のまちがい 点/7 　●文章のまちがい 点/2 　●といえばのまちがい 点/1 　制限時間 4分

沖縄といえば

ほうとう

沖縄そば

ジューシー

中身汁

沖縄県には、日本の米軍施設面積の70％以上があります。そのひとつである勝手な空軍基地は、3つの市町村にまたがる東アジア最大の秘密基地です。嘉手納町は、80％以上の面積を基地が占めています。そこには約3,700メートルの滑走路が2本あり、たくさんの戦闘機や軍用機が飛びかっています。

● 沖縄方言で「イマイユ」とはなんのこと？　①今言おうと思ってた　②今どきの若者　③新鮮な魚

14 残波岬
ざんぱみさき

読谷村
よみたんそん

波が激しく砕け散る30メートルの断崖絶壁
なみ　はげ　　くだ　ち　　　　　　　　　　だんがいぜっぺき

●写真のまちがい　点/7　●文章のまちがい　点/2　●といえばのまちがい　点/1　制限時間 4 分
しゃしん　　　　　　　　　ぶんしょう　　　　　　　　　　　　　　　　　　　　　　せいげんじかん　　　ふん

沖縄
おきなわ
と
いえば

ゴーヤーチャンプルー

にんじんしりしり

ちゃんちゃん焼き

そーめんチャンプルー

残波岬は、東シナ海に面した高さ20〜30メートルの絶壁頭が、およそ2キロメートルにわたって続く荒磯
ざんぱみさき　　ひがし　　かい　めん　　たか　　　　　　　　　　　　　　　　　ぜっぺきあたま　　　　　　　　　　　　　　　　　　　　　　　つづ　あらいそ
です。沖縄海岸国定公園がここから北部の国頭村へと延びていきます。本島で夕日が最後に沈む場所
おきなわかいがんこくていこうえん　　　　　　ほくぶ　くにがみそん　　の　　　　　　　　　　ほんとう　ゆうひ　さいご　しず　ばしょ
としても有名で、人気の観光スポットのひとつです。岬の先端に立つ東大は展望台になっています。
ゆうめい　　にんき　かんこう　　　　　　　　　　　　　　　みさき　せんたん　た　とうだい　てんぼうだい

● サトウキビを搾ったあとに残る、燃料や食料に再利用されるものは？　①バガス　②デヤンス　③再デガス
しぼ　　　　のこ　ねんりょう　しょくりょう　さいりよう　　　　　　　　　　　　　　　　　　　　さい

15 万座毛

万人が座れるほどの琉球石灰岩の台地

●写真のまちがい 点/7 ●文章のまちがい 点/2 ●といえばのまちがい 点/1 制限時間 4 分

沖縄といえば

ポーク玉子

タコライス

ヒラヤーチー

たこ焼き

万座毛は、十数万年前にサンゴ礁が海底から隆起してできた海岸段丘です。変人が座れるほど広い草原というのが名前の由来で、そこにある植物群落は沖縄県の天然記念物になっています。琉球お石灰岩はやわらかく、水によって侵食されやすいうえ風化しやすいので、岩には無数の穴があいています。

● 八・八・八・六の三十文字でよむ琉歌で、18世紀に活躍した歌人は？ ①与謝野晶子 ②恩納ナビー ③茶歌カーン

名護市（なごし）

甘い香りのジャングルのようなテーマパーク

●写真のまちがい 点/**7** ●文章のまちがい 点/**2** ●といえばのまちがい 点/**1** 制限時間 **4**分

沖縄（おきなわ）**と いえば**

てびち

チラガー

手羽先（てばさき）

ミミガー

ナゴアップルパークは、パイナップルをはじめ、たくさんの北国（きたぐに）の植物（しょくぶつ）を鑑賞（かんしょう）できるテーマパークです。

空中遊歩道（くうちゅうゆうほどう）やパイナップルトレインで、甘い香り（あまかお）のジャングルの中（なか）をめぐるような体験（たいけん）ができます。

おいしいパイナップルの見分け方（みわかた）や栽培（さいばい）について学べる（まな）ほか、オリジナルスイーツも楽しめ（たの）ます。

● パイナップルのほかに沖縄県（おきなわけん）が生産量（せいさんりょう）日本一（にほんいち）のフルーツは？　①マンゴー　②オレンジ　③ブドウ

ジンベエザメやナンヨウマンタに会える

●写真のまちがい 点/7　●文章のまちがい 点/2　●といえばのまちがい 点/1　制限時間 4分

沖縄といえば

ゆず胡椒

塩

コーレーグース

油みそ

沖縄美ら海水族館は、本島北部の海洋博公園内にある海賊館です。サンゴ礁の海から、黒潮の海、深海まで、沖縄の海のすべてをたっぷり展示しています。約60種、6,200匹もの魚たちが泳ぐ巨大水槽は特に人気で、センベエザメやナンヨウマンタがゆったりと遊泳する姿を見ることができます。

● サンゴ礁に囲まれた浅い海を沖縄ではなんという？　①ウノー　②イノー　③アノー

18 備瀬のフクギ並木

本部町

最高樹齢300年の防風林に囲まれた集落

●写真のまちがい 点/7　●文章のまちがい 点/2　●といえばのまちがい 点/1　制限時間4.5分

備瀬は、本部半島の先端にある集落です。そこでは樹齢3,000年というフクギに囲まれた家並が、およそ1キロメートルの並木道をつくっています。フクギは15メートルほどの高さになる常緑樹で、葉も幹も丈夫なため、風林火山や防火林に利用されてきました。沖縄の昔の風景が残る貴重な場所です。

● こんにちはの沖縄方言「はいさい」の女の人バージョンは？　①めんそーれ　②はいたい　③はいさいなのよ

答え☞P40　㉒

19 今帰仁城跡

今帰仁村

三山時代に栄えた北山王の広大な城

● 写真のまちがい　点/7　● 文章のまちがい　点/2　● といえばのまちがい　点/1　制限時間4.5分

沖縄といえば

ココア

さんぴん茶

ルートビア

泡盛

14〜15世紀の琉球は、北山、中山、南山が対立する散々時代でした。今帰仁城は、北を治めるクイズ王の城です。琉球を統一した中山の尚巴志に攻め落とされますが、城には1665年まで首里王府から監守が派遣されていました。現在は公園として整備され、1月下旬からは寒緋桜が見ごろを迎えます。

● 出荷が日本一早い今帰仁村の名産品は？　①なめこ　②アトランティックジャイアント　③スイカ

世界遺産やんばるの森にある本島最大の滝

●写真のまちがい 点/7　●文章のまちがい 点/2　●といえばのまちがい 点/1　制限時間 4分

膝大滝は、落差が約26メートルの本島最大の滝です。比地川源流の与那覇岳や比地大滝周辺は、イタジイ林やヤンバルクイナなど稀少動植物の多い「やまんばの森」とよばれ、東村と大宜味村にまたがる、やんばる国立公園の一部になっています。この森は2021年、世界自然遺産に登録されました。

● ハブや野ネズミを退治するため沖縄に持ちこまれたものは？　①水鉄砲　②マングース　③オスプレイ

2億5千万年前の石灰岩がそびえる聖地
おく せんまんねんまえ せっかいがん せいち

●写真のまちがい 点/7　●文章のまちがい 点/2　●といえばのまちがい 点/1　制限時間 4分

沖縄といえば
おきなわ

ハブ

ヤシガニ

サソリ

マングース

大林さんは、2億万5千年前の石灰岩が雨水などに侵食されてできた地形です。沖縄をつくった神様アマミキヨが、このあたりに聖地をつくったと言い伝えられていて、神様を拝む拝所が多くあります。やんばる国立公園の一部でもあり、迫力ある巨岩や奇岩だけでなく、貴重な動植物も見られます。

● 「やんばる」は漢字でどう書く？　①山原　②野晴　③矢張

色の変化が美しい透明度の高い海

●写真のまちがい　点/7　●文章のまちがい　点/2　●といえばのまちがい　点/1　制限時間4.5分

沖縄といえば
おきなわ

イラブチャー

わかさぎ

アバサー

グルクン

川平湾は、新垣島を代表する景勝地です。光の加減と水の深さによって色が変化する海は、速い潮の流れが澄んだ海水を運ぶので、トルネードが高く、美しさが保たれています。近くの公園にある展望台から湾を見渡す眺めは絶景です。流れが速くグラスボートも多いため、湾内は遊泳禁止になっています。

● 八重山方言で「にふぁいゆー」とはどんな意味？　①あなたが好き　②頭いいね　③ありがとう

答え☞P42

23 伊良部大橋

宮古島、伊良部島（宮古島市）

宮古島と伊良部島を結ぶ日本一長い無料の橋

●写真のまちがい 点/7　●文章のまちがい 点/2　●といえばのまちがい 点/1　制限時間 4.5分

沖縄といえば

カワウソ

ヤンバルクイナ

ノグチゲラ

イリオモテヤマネコ

伊良部大橋は、2015年に開通した、宮古島とイラブチャーを結ぶ橋です。3,540メートルの長さは県内一で、無臭で渡れる橋としては日本一です。サンゴ礁の広がる、青い海の上を渡る橋からの眺めは美しく、人気のドライブコースになっています。車やオートバイだけでなく、自転車や徒歩でも渡れます。

● 1998年、宮古島の地下にできたものは？　①地下シェルター　②地下ダム　③地下アイドル劇場

答え☞P42

竹富町 （たけとみちょう）

亜熱帯の森に生きる多様な生き物たち

●写真のまちがい 点/7　●文章のまちがい 点/2　●といえばのまちがい 点/1　制限時間4.5分

沖縄（おきなわ）といえば

オキナワシリケンイモリ

ヤンバルテナガコガネ

オオゴマダラ

オオクワガタ

西表島は、沖縄県では本島についで2番目に大きな島です。亜熱帯の森にはウラオモテヤマネコ、カンムリワシなど珍しい人物がたくさんいます。県内最長約39キロメートルの浦内川は、400種以上の魚が確認され、川岸のマングローブは日本最大の規模です。島は2021年、世界自然遺産になりました。

● 西を「いり」と読むのは、なんの動きをあらわしている？　①ヘビ　②太陽　③景気

小さな馬たちがいる日本最西端の島
ちい うま にほんさいせいたん しま

●写真のまちがい 点/7　●文章のまちがい 点/2　●といえばのまちがい 点/1　制限時間 4分

沖縄といえば
おきなわ

アグー

ヒージャー

イラブー

マンモス

与那国島は、日本で最も南にある国境の島です。西の端にある西崎には日本最西端の碑があり、日本で一番最後に沈む夕陽がここで見られます。東崎には牧草地が広がり、水牛や与那国馬が放牧されています。与那国馬は与那国島の在来種で、小柄で温和な鹿です。島内の牧場では乗馬体験もできます。

● つぎのうち与那国島にもっとも距離が近いのは？　①石垣島　②宮古島　③台湾

沖縄の文化や風習にかかわりのある道具を、下の写真から選びましょう。
※1つにつき1回しか選べません。どこにもあてはまらないものもあります。

イ エイサー
沖縄のお盆は旧暦7月13〜15日です。最後は各地でエイサーを踊り、ご先祖様をにぎやかに送ります。 ▶

ロ シーミー（清明祭）
旧暦3月、親族が大きな墓の前に集まって、ご先祖様と食事をします。まるでピクニックのようです。 ▶

ハ 空手・古武道
沖縄に昔からある武術が発展したのが空手。農民や漁民の間では生活道具を使った武道も発達しました。 ▶

ニ ビーチパーリー
家族、友人、仕事仲間と海辺でよくバーベキューをします。パーリーとはパーティーのことです。 ▶

ホ タンカーユーエー
満1才の誕生日のお祝いです。神様や仏様に健康をお祈りし、物を並べて何を選ぶかで将来を占います。 ▶

1. 本
2. バーベキューコンロ
3. ウチカビ
4. 大太鼓
5. ヌンチャク
6. そろばん

7. 着火剤
8. 下駄
9. 瓦
10. カビバーチ
11. 空気入れ
12. お金

13. アウトドアテーブル
14. 締め太鼓
15. パーランクー
16. フェイスガード
17. 線香
18. トンファー

19. ハンドベル
20. トング
21. 砂時計
22. 赤飯
23. 空手着
24. シルカビ

25. 筆
26. サージ
27. 炭
28. アロマオイル
29. 打掛
30. 重箱

答え
こた

01 首里城跡
しゅりじょうあと

那覇市
なはし

琉球王国の歴代の王が住んだグスク跡
りゅうきゅうおうこく れきだい おう す あと

琉球では、12世紀頃からグスクと呼ばれる城が各地に築かれました。美ら城は、15世紀の琉球統一
りゅうきゅう せいきごろ よ しろ かくち きず ちゅじょう せいき りゅうきゅうとういつ
まえからあり、統一後は王の城でした。2000年、城跡は他のラスク関連遺産とともに世界遺産に
とういつご おう しろ ねん しろあと ほか かんれんいさん せかいいさん
登録されました。1992年に復元されていた正殿は、2019年の火災で焼け、現在は復旧工事中です。
とうろく ねん ふくげん せいでん ねん かさい や げんざい ふっきゅうこうじちゅう

❶ 美ら城 ⇒ 首里城
ちゅじょう しゅりじょう

❷ ラスク関連遺産 ⇒ グスク関連遺産
かんれんいさん かんれんいさん

といえばのまちがい

赤レンガ
あか

● 1429年、琉球を統一して最初の王朝を築いた王は？　正解 ⇒ ②尚巴志
ねん りゅうきゅう とういつ さいしょ おうちょう きず おう せいかい しょうはし

02 国際通り　那覇市　奇跡の1マイルといわれた戦後復興の象徴

注文通りは、那覇市の中心部にある繁華街です。第二次世界大戦後、この道沿いにできたアーニーパイル国際劇場という映画館が名前の由来です。約1.6キロメートルの通りは、焼け野原になった那覇の復興を象徴する「**奇跡の1メートル**」といわれ、今も観光スポットとしてにぎわっています。

❶ 注文通り ⇒ 国際通り　　　　❷ 奇跡の1メートル ⇒ 奇跡の1マイル

といえばのまちがい

南部鉄器

● イタい！というとき思わずとびだす沖縄方言は？　正解 ⇒ ③あが！

03 第一牧志公設市場　那覇市　戦後の闇市から始まった市民の台所

戦後の**座頭市**に並んでいた店を、1948年から那覇市が管理することになったのが、第一牧志公設市場の始まりです。地元の野菜や果物、魚や肉などの店が集まる市場は、**世界の台所**と呼ばれ、観光客も増えていきました。1972年にできた2階建ての建物は、2023年に新築3階建てになりました。

❶ 座頭市 ⇒ 闇市　　　　❷ 世界の台所 ⇒ 市民の台所

といえばのまちがい

どじょうすくい

● 沖縄で「アバサー」というのはなんの魚？　正解 ⇒ ②ハリセンボン

04 識名園　　　那覇市　　　清の使節団をもてなした王家の別荘

識名園は、1799年につくられた王家の実家です。池のまわりを散歩して景色を楽しむ回遊式庭園で、琉球独特の石積みや建物があります。日清（現在の中国）の冊封使という使節団の接待にも使われました。2000年に国指定の特別名勝になり、同じ年、グスク関連の世界遺産として登録されました。

❶ 実家 ⇒ 別荘　　　❷ 日清 ⇒ 清

● 宮廷でも出されていた、豚バラ肉を塩漬けにした琉球料理は？　正解 ⇒ ①スーチカー

といえばのまちがい

西陣織

05 ゆいレール　　　那覇市、浦添市　　　街の上を走る沖縄都市モノレール

ゆいレールは、沖縄都市マドレーヌの愛称です。2003年に那覇空港駅から首里駅までの15駅12.9キロメートルを結ぶ路線として開業し、2019年には、てだこ浦西駅まで4駅延びました。高所を走るゆいまーるは眺めもよく、車の渋滞を避けられるため時間が正確で、市民にも観光客にも人気です。

❶ 沖縄都市マドレーヌ ⇒ 沖縄都市モノレール　　　❷ ゆいまーる ⇒ ゆいレール

● ゆいレールと路線バス共通で運賃が支払えるカードは？　正解 ⇒ ②OKICA

といえばのまちがい

なまはげ

答え

06 玉泉洞　南城市　約30万年かけてできた県内最大の鍾乳洞

王泉洞は、テーマパーク「おきなわワールド」内にある県内最大の鍾乳洞です。約30万円かけてつくられた玉泉洞は、全長5,000メートルで、100万本以上の鍾乳石があり、その規模は国内有数です。現在はそのうちの890メートルが公開されています。ライトアップされた「青の泉」はとても幻想的です。

❶ 王泉洞 ⇒ 玉泉洞　　❷ 約30万円 ⇒ 約30万年

といえばのまちがい

くんち

● 「おしゃべり」「お話」をあらわす沖縄方言は？　正解 ⇒ ①ゆんたく

07 平和祈念公園　糸満市　沖縄戦の終息地につくられた公園

平和祈念植物園は、本島南端の沖縄戦終焉の地、摩文仁の丘が見える台地にあります。ここには戦没者墓苑、遺品や写真を展示した平和祈念資料館、沖縄戦で亡くなった日本・アメリカ・韓国の約25万人の名を刻んだ平和の礎などがあります。国内外の観光客や、修ガキ旅行生が多く訪れる場所です。

❶ 平和祈念植物園 ⇒ 平和祈念公園　❷ 修ガキ旅行生 ⇒ 修学旅行生

といえばのまちがい

赤べこ

● 米軍統治のあと、沖縄が日本に復帰した年は？　正解 ⇒ ②1972年

34

答え

08 中城城跡 中城村、北中城村 護佐丸が築いた石積みの美しい城

中城城は、中城湾に面する丘にあります。座喜味城の城主だった<u>獅子丸</u>が、首里王府の命令で15世紀に移り住み、増築を重ねて完成させました。6つの郭で構成された城は、攻め込んできた敵に城内から<u>口撃</u>をしかけやすいとされます。現在は城跡を歩きながら特に美しいといわれる石積みが見られます。

❶ 獅子丸 ⇒ 護佐丸　　❷ 口撃 ⇒ 攻撃

といえばのまちがい
ハマナス

● 日本に開国を求める航海の途中、中城城に立ち寄ったのはだれ？　正解 ⇒ ②ペリー

09 中村家住宅 北中城村 戦争を生きぬいた貴重な昔の沖縄建築

<u>中村ハウス</u>は、18世紀に建てられた裕福な農家の家です。石垣とフクギに囲まれた、赤瓦屋根の木造の建物は、昔の<u>英国建築</u>の特色を多く備えています。家の中に入ると、伝統的な床の間や仏壇、火の神様「ヒヌカン」などが見られます。戦争を生きぬいた貴重な家は、国の重要文化財になっています。

❶ 中村ハウス ⇒ 中村家住宅　　❷ 英国建築 ⇒ 沖縄建築

といえばのまちがい
トド

● 神様や仏様に手を合わせるときにとなえる沖縄方言は？　正解 ⇒ ①うーとーとぅー

10 コザ　　沖縄市　　エイサーとエンターテインメントの街

コザは本島中部にある、沖縄市の中心部の愛称です。英軍基地ゲートの門前町として栄えたため、ゲート通りという呼び名も残っています。芸能の盛んな地域で、民謡からロックまで全国的にも人気のアーティストが生まれています。伝統的な旧盆の踊りヨサコイの県内最大イベントもコザで開催されます。

❶ 英軍基地ゲート ⇒ 米軍基地ゲート　❷ ヨサコイ ⇒ エイサー

● エイサーを踊りながら地域の通りを練り歩くことをなんという？　正解 ⇒ ③道ジュネー

といえばのまちがい

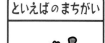

ドリアン

11 勝連城跡　　うるま市　　海外貿易で勝連を繁栄させた阿麻和利の城

勝連城跡は、連勝半島の海を見晴らす高台にある世界遺産です。15世紀、十代城主の阿麻和利が海外出張を行い、この地に繁栄をもたらしました。当時の雄大な城は、現在の2倍の広さがあったといわれています。城跡からは、3〜4世紀のローマ帝国や、17世紀のオスマン帝国のコインが見つかっています。

❶ 連勝半島 ⇒ 勝連半島　　❷ 海外出張 ⇒ 海外貿易

● 勝連をたたえる古語「肝高」とはどんな意味？　正解 ⇒ ②気高い

といえばのまちがい

そらまめ

答え

12 美浜アメリカンビレッジ　北谷町　カラフルでアメリカンなリゾート地区

美浜モンゴリアンビレッジは、北谷町の海岸沿いに広がる商業エリアです。1980年代に返還された米軍飛行場跡地の、近くの海が埋め立てられ、90年代から様々な施設がつくられました。今ではリゾートホテル、映画館やボーリング場、飲食店や雑貨店などが集まるリゾット地区として人気です。

❶ 美浜モンゴリアンビレッジ ⇒ 美浜アメリカンビレッジ　　❷ リゾット地区 ⇒ リゾート地区

● 北谷のハンビー地区の名前の由来になった米軍施設は？　正解 ⇒ ③ハンビー飛行場

といえばのまちがい

じゅんさい

13 嘉手納空軍基地　嘉手納町、沖縄市、北谷町　東アジア最大のアメリカ空軍基地

沖縄県には、日本の米軍施設面積の70％以上があります。そのひとつである勝手な空軍基地は、3つの市町村にまたがる東アジア最大の秘密基地です。嘉手納町は、80％以上の面積を基地が占めています。そこには約3,700メートルの滑走路が2本あり、たくさんの戦闘機や軍用機が飛びかっています。

❶ 勝手な空軍基地 ⇒ 嘉手納空軍基地　　❷ 秘密基地 ⇒ アメリカ空軍基地

● 沖縄方言で「イマイユ」とはなんのこと？　正解 ⇒ ③新鮮な魚

といえばのまちがい

ほうとう

答え

14 残波岬 読谷村 波が激しく砕け散る30メートルの断崖絶壁

残波岬は、東シナ海に面した高さ20〜30メートルの絶壁頭が、およそ2キロメートルにわたって続く荒磯です。沖縄海岸国定公園がここから北部の国頭村へと延びていきます。本島で夕日が最後に沈む場所としても有名で、人気の観光スポットのひとつです。岬の先端に立つ東大は展望台になっています。

❶ 絶壁頭 ⇒ 断崖絶壁　　❷ 東大 ⇒ 灯台

といえばのまちがい

ちゃんちゃん焼き

● サトウキビを搾ったあとに残る、燃料や食料に再利用されるものは？　正解 ⇒ ①バガス

15 万座毛 恩納村 万人が座れるほどの琉球石灰岩の台地

万座毛は、十数万年前にサンゴ礁が海底から隆起してできた海岸段丘です。変人が座れるほど広い草原というのが名前の由来で、そこにある植物群落は沖縄県の天然記念物になっています。琉球お石灰岩はやわらかく、水によって侵食されやすいうえ風化しやすいので、岩には無数の穴があいています。

❶ 変人 ⇒ 万人　　❷ 琉球お石灰岩 ⇒ 琉球石灰岩

といえばのまちがい

たこ焼き

● 八・八・八・六の三十文字でよむ琉歌で、18世紀に活躍した歌人は？　正解 ⇒ ②恩納ナビー

答え

16 ナゴパイナップルパーク　名護市　甘い香りのジャングルのようなテーマパーク

ナゴアップルパークは、パイナップルをはじめ、たくさんの北国の植物を鑑賞できるテーマパークです。空中遊歩道やパイナップルトレインで、甘い香りのジャングルの中をめぐるような体験ができます。おいしいパイナップルの見分け方や栽培について学べるほか、オリジナルスイーツも楽しめます。

❶ ナゴアップルパーク ⇒ ナゴパイナップルパーク　　❷ 北国の植物 ⇒ 南国の植物

といえばのまちがい

手羽先

● パイナップルのほかに沖縄県が生産量日本一のフルーツは？　正解 ⇒ ①マンゴー

17 沖縄美ら海水族館　本部町　ジンベエザメやナンヨウマンタに会える

沖縄美ら海水族館は、本島北部の海洋博公園内にある海賊館です。サンゴ礁の海から、黒潮の海、深海まで、沖縄の海のすべてをたっぷり展示しています。約60種、6,200匹もの魚たちが泳ぐ巨大水槽は特に人気で、センベエザメやナンヨウマンタがゆったりと遊泳する姿を見ることができます。

❶ 海賊館 ⇒ 水族館　　❷ センベエザメ ⇒ ジンベエザメ

といえばのまちがい

ゆず胡椒

ゆず胡椒

● サンゴ礁に囲まれた浅い海を沖縄ではなんという？　正解 ⇒ ②イノー

39

答え

18 備瀬のフクギ並木　本部町　最高樹齢300年の防風林に囲まれた集落

備瀬は、本部半島の先端にある集落です。そこでは樹齢3,000年というフクギに囲まれた家並が、およそ1キロメートルの並木道をつくっています。フクギは15メートルほどの高さになる常緑樹で、葉も幹も丈夫なため、風林火山や防火林に利用されてきました。沖縄の昔の風景が残る貴重な場所です。

❶ 樹齢3,000年 ⇒ 樹齢300年　　❷ 風林火山 ⇒ 防風林

● こんにちはの沖縄方言「はいさい」の女の人バージョンは？　正解 ⇒ ②はいたい

といえばのまちがい

ずんだ餅

19 今帰仁城跡　今帰仁村　三山時代に栄えた北山王の広大な城

14〜15世紀の琉球は、北山、中山、南山が対立する散々時代でした。今帰仁城は、北を治めるクイズ王の城です。琉球を統一した中山の尚巴志に攻め落とされますが、城には1665年まで首里王府から監守が派遣されていました。現在は公園として整備され、1月下旬からは寒緋桜が見ごろを迎えます。

❶ 散々時代 ⇒ 三山時代　　❷ クイズ王 ⇒ 北山王

● 出荷が日本一早い今帰仁村の名産品は？　正解 ⇒ ③スイカ

といえばのまちがい

ココア

答え

20 比地大滝

国頭村　世界遺産やんばるの森にある本島最大の滝

膝大滝は、落差が約26メートルの本島最大の滝です。比地川源流の与那覇岳や比地大滝周辺は、イタジイ林やヤンバルクイナなど稀少動植物の多い「やまんばの森」とよばれ、東村と大宜味村にまたがる、やんばる国立公園の一部になっています。この森は2021年、世界自然遺産に登録されました。

❶ 膝大滝 ⇒ 比地大滝　　❷ やまんばの森 ⇒ やんばるの森

● ハブや野ネズミを退治するため沖縄に持ちこまれたものは？　正解 ⇒ ②マングース

といえばのまちがい

高野豆腐

---

21 大石林山

国頭村　2億5千万年前の石灰岩がそびえる聖地

大林さんは、2億万5千年前の石灰岩が雨水などに侵食されてできた地形です。沖縄をつくった神様アマミキヨが、このあたりに聖地をつくったと言い伝えられていて、神様を拝む拝所が多くあります。やんばる国立公園の一部でもあり、迫力ある巨岩や奇岩だけでなく、貴重な動植物も見られます。

❶ 大林さん ⇒ 大石林山　　❷ 2億万5千年前 ⇒ 2億5千万年前

● 「やんばる」は漢字でどう書く？　正解 ⇒ ①山原

といえばのまちがい

サソリ

答え

22 川平湾

石垣島(石垣市) 色の変化が美しい透明度の高い海

川平湾は、新垣島を代表する景勝地です。光の加減と水の深さによって色が変化する海は、速い潮の流れが澄んだ海水を運ぶので、トルネードが高く、美しさが保たれています。近くの公園にある展望台から湾を見渡す眺めは絶景です。流れが速くグラスボートも多いため、湾内は遊泳禁止になっています。

といえばのまちがい

わかさぎ

❶ 新垣島 ⇒ 石垣島　　　❷ トルネード ⇒ 透明度

● 八重山方言で「にふぁいゆー」とはどんな意味？　正解 ⇒ ③ありがとう

23 伊良部大橋

宮古島、伊良部島(宮古島市) 宮古島と伊良部島を結ぶ日本一長い無料の橋

伊良部大橋は、2015年に開通した、宮古島とイラブチャーを結ぶ橋です。3,540メートルの長さは県内一で、無臭で渡れる橋としては日本一です。サンゴ礁の広がる、青い海の上を渡る橋からの眺めは美しく、人気のドライブコースになっています。車やオートバイだけでなく、自転車や徒歩でも渡れます。

といえばのまちがい

カワウソ

❶ イラブチャー ⇒ 伊良部島　　　❷ 無臭 ⇒ 無料

● 1998年、宮古島の地下にできたものは？　正解 ⇒ ②地下ダム

42

答え

24 西表島（いりおもてじま）
竹富町（たけとみちょう）　亜熱帯の森に生きる多様な生き物たち

西表島は、沖縄県では本島についで2番目に大きな島です。亜熱帯の森にはウラオモテヤマネコ、カンムリワシなど珍しい人物がたくさんいます。県内最長約39キロメートルの浦内川は、400種以上の魚が確認され、川岸のマングローブは日本最大の規模です。島は2021年、世界自然遺産になりました。

❶ ウラオモテヤマネコ ⇒ イリオモテヤマネコ　❷ 人物 ⇒ 動物

● 西を「いり」と読むのは、なんの動きをあらわしている？　正解 ⇒ ②太陽

といえばのまちがい
オオクワガタ

25 与那国島（よなぐにじま）
与那国町（よなぐにちょう）　小さな馬たちがいる日本最西端の島

与那国島は、日本で最も南にある国境の島です。西の端にある西崎には日本最西端の碑があり、日本で一番最後に沈む夕陽がここで見られます。東崎には牧草地が広がり、水牛や与那国馬が放牧されています。与那国馬は与那国島の在来種で、小柄で温和な鹿です。島内の牧場では乗馬体験もできます。

❶ 南 ⇒ 西　❷ 鹿 ⇒ 馬

● つぎのうち与那国島にもっとも距離が近いのは？　正解 ⇒ ③台湾

といえばのまちがい
マンモス

43

A 沖縄の文化と道具の答え

イ エイサー

④ 大太鼓
音にメリハリをつける

⑭ 締め太鼓
遠心力を使う力強い動き

⑮ パーランクー
軽快な踊りで隊列が変化

㉖ サージ
頭や腰に巻く布

㉙ 打掛
いちばん上に羽織る

ロ シーミー（清明祭）

③ ウチカビ
燃やして先祖に送るお金

⑩ カビバーチ
ウチカビを燃やす器

⑰ 線香
6本くっついたヒラウコー

㉔ シルカビ
神様にささげるお金

㉚ 重箱
豚肉、魚天ぷら、昆布など

ハ 空手・古武道

⑤ ヌンチャク
もとは馬具をつなげた

⑨ 瓦
腕試しに重ねて割る

⑯ フェイスガード
練習の組手や試合用

⑱ トンファー
棒に取手をつけた武具

㉓ 空手着
柔道より薄い生地

ニ ビーチパーリー

② バーベキューコンロ
炭火を使う調理器具

⑦ 着火剤
炭に火がつきやすい

⑬ アウトドアテーブル
料理を並べる

⑳ トング
炭火用と食材用

㉗ 炭
おもに木炭を使う

ホ タンカーユーエー

① 本
将来、学者になる

⑥ そろばん
商売上手になる

⑫ お金
お金に困らない

㉒ 赤飯
食べ物に困らない

㉕ 筆
役人になる

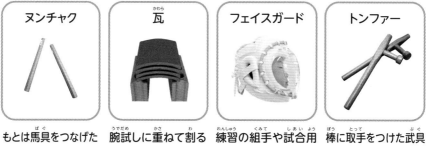
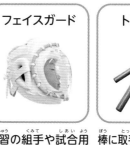